MAMANS ET BÉBÉS
ANIMAUX
DU
MONDE

Texte de
Roberto Piumini
Illustrations de
Lorella Rizzatti
Traduction de Cécile Gagnon

EDDL

Fin museau et oreilles attentives

Petit Zèbre mastiquait lentement l'herbe sèche de la savane. Alors qu'il broutait, des souvenirs proches traversaient sa mémoire. Il se rappelait le lait de sa mère. Mais, quelques jours plus tôt, Petit Zèbre avait été sevré et il avait dû se pencher pour chercher sa nourriture.

Au début, l'herbe ne lui avait pas plu du tout. Mais, peu à peu, il l'avait trouvée bonne.

— Que fais-tu, Maman ? demanda Petit Zèbre, en s'approchant.

— Je respire le vent de la savane, répondit Maman Zèbre en agitant la queue.

— Pourquoi humer le vent de la savane ?

— Parce qu'il transporte des odeurs et des bruits, mon petit.

— Mais pourquoi veux-tu flairer les odeurs et les bruits ? insista Petit Zèbre.

— Parce que s'il existe de bonnes odeurs, il en existe aussi de dangereuses, répliqua Maman Zèbre qui se remit à brouter.

Petit Zèbre arracha, lui aussi, quelques touffes d'herbe, mais il n'était pas satisfait.

— Quels sont les bruits favorables et les odeurs agréables, Maman ?

— Ce sont les odeurs et les bruits de l'herbe, des feuilles d'acacia, ou bien ceux des gnous, des gazelles et des girafes, répondit Maman Zèbre.

— Dis-moi donc quels sont les odeurs et les bruits dangereux ?

— Ceux du feu qui embrase parfois la savane et détruit tout, ou bien ceux du lion et de la lionne qui se cachent dans les herbes pour nous attaquer et nous manger.

Petit Zèbre frissonna. Il leva son museau, renifla l'air et écouta les bruits. Mais, il y avait tant et tant de sons !

— Ne t'en fais pas, petit, dit Maman Zèbre en lui léchant le museau. Tout va bien. Tu apprendras peu à peu à distinguer les odeurs et les bruits. Pour l'instant, mange et reste près de moi. Surtout ne t'éloigne pas du troupeau !

Petit Zèbre se remit à brouter. Il se tenait si près de sa mère que leurs ombres, si petites sous le soleil équatorial, ne semblaient faire qu'une.

Le zèbre

Une succession d'ombres et de lumières : c'est la savane. La robe noire et blanche du zèbre lui ressemble et permet à l'animal de se fondre dans le paysage.

Les zèbres et les autruches sont de grands amis. La raison ? Les autruches ont l'œil perçant. Elles peuvent voir un lion alors que celui-ci n'est encore qu'un tout petit point, à l'horizon ; et leur peur prévient les zèbres du danger.

Par contre, si les lions se dissimulent totalement dans les herbes, leur odeur n'échappe pas au flair du zèbre qui rend ainsi la politesse aux autruches.

Les zèbres adorent manger de l'herbe. Mais en cas de nécessité, comme en période de sécheresse par exemple, ils se contentent de feuilles et d'écorces.

De quelles armes disposent les hyènes, les guépards et les lions ? De griffes et de crocs acérés. Et quelles sont les armes des zèbres ? Ce sont leurs gros sabots. Quand un prédateur affamé s'approche un peu trop près, les zèbres adultes se mettent en cercle autour de leurs petits et décochent de vigoureuses ruades.

À l'école de la chasse

Sous l'énorme baobab, Petit Lionceau somnolait avec ses frères. De temps en temps, il ouvrait les yeux pour examiner Papa Lion endormi. Puis, il tentait de l'imiter. Avec ses pattes, il ébouriffait les poils de sa tête et de son cou afin d'avoir, lui aussi, une crinière.

Maman Lionne ne dormait pas. Au milieu de ses petits, elle gardait la tête dressée, le regard fixé au-dessus des hautes herbes. Elle regardait, écoutait, flairait. Là-bas, se découpant sur l'horizon, des dizaines de zèbres broutaient, balayant l'air de leur queue. Près d'eux, il y avait des antilopes à grosse tête (les gnous) et, plus loin, des girafes.

— Maman, que mangerons-nous demain ? demanda Petit Lionceau en s'approchant de sa mère.

— Nous verrons, lui répondit-elle en le léchant.

— Est-ce que nous mangerons de la girafe ?

— Je ne le crois pas, mon petit. La girafe court trop vite et donne des coups de pattes trop douloureux.

— Et du buffle, Maman ?

— C'est difficile… Le buffle est très fort et il a la corne dure.

— Alors, nous mangerons du zèbre.

Maman Lionne ne répondit pas. Elle leva la tête, fixa intensément un point dans le lointain et se mit à flairer. Elle laissa échapper un grognement bref.

Les trois autres lionnes du troupeau étaient aussi en alerte. Presque en même temps, elles sautèrent sur leurs pattes.

— Que se passe-t-il, Maman ?

— Nous devons partir à la chasse, petit.

— Moi aussi, je veux y aller. Je suis déjà grand.

— Alors, cours ! dit Maman Lionne en bondissant. Les autres lionnes se mirent aussi à courir en direction du troupeau de gnous.

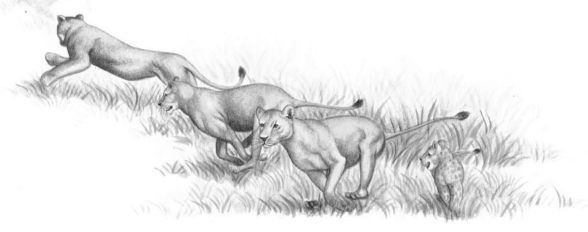

— Nous n'y arriverons pas, Maman ! cria Petit Lionceau.

— Arrête-toi près de ce tronc d'arbre et regarde ! lui cria-t-elle sans s'arrêter.

Petit Lionceau, tout essoufflé, grimpa sur le tronc sec d'un acacia. De là, il vit les lionnes s'approcher des gnous. Là-bas, une des antilopes courait en boitant. Les lionnes l'entourèrent, tel un piège vivant.

— Nous mangerons du gnou ! s'écria Petit Lionceau qui poussa un rugissement féroce destiné… à un papillon rose.

Le lion

Sa crinière et ses rugissements feraient frissonner n'importe quel animal, pourtant le lion mâle préfère envoyer sa femme chasser. Mais que personne ne s'avise de goûter à la nourriture avant lui : sacrebleu, il faut respecter l'ordre !

C'est en mordillant, en léchant ou en donnant de petits coups de tête que les lionceaux expriment toute leur tendresse. La maman les laisse faire parce qu'ils sont si mignons. Mais, avec les papas, attention : ceux-ci sont très jaloux.

Les petits lions naissent tachetés comme les petits léopards. Est-ce le soleil d'Afrique qui fait fondre leurs taches ? Quoi qu'il en soit, lorsque les lionceaux auront deux ans, les taches auront disparu.

La tête dans les nuages

Dans la savane, antilopes, zèbres, gazelles et girafes paissaient tranquillement. Il faisait trop chaud pour que les lions aient envie de chasser. D'ailleurs, en humant l'air et en écoutant le vent, les animaux savaient que tout était paisible.

Les zèbres et les antilopes broutaient l'herbe et exploraient les buissons à la recherche de jeunes

pousses. Plus loin, avec leur tête à plus de cinq mètres du sol, les girafes arrachaient les plus hautes feuilles des acacias.

Petit Girafeau ne mesurait pas encore trois mètres, mais il pouvait déjà atteindre des feuilles

qu'aucune antilope n'aurait pu effleurer. Même le gérénuk, cette race de gazelles qui mange en se dressant sur ses pattes arrière, ne réussissait pas à attraper les mêmes feuilles que lui. C'est peut-être pour cette raison que Petit Girafeau marchait tout fier, regardant de haut la savane et écoutant chaque bruit grâce à ses oreilles extrêmement mobiles.

L'heure de boire était arrivée. Maman Girafe émit un doux grognement pour appeler son petit. Tout le troupeau, soit vingt girafes, se dirigea lentement vers un lac qui scintillait au soleil, à trois kilomètres de là. Un peu plus loin, zèbres, gnous et gazelles marchaient vers le point d'eau, soulevant un nuage de poussière dorée.

Une fois arrivé, Petit Girafeau se trouva fort embarrassé. Il avait beau pencher la tête, il ne réussissait même pas à effleurer le liquide de ses lèvres. Ses pattes avant étaient trop longues. Il envisageait déjà de s'allonger dans l'eau, lorsque Maman Girafe lui donna ce conseil :

— Tout doucement, mon petit, fais comme moi.

Lentement, Maman Girafe écarta ses pattes avant en les pliant. Puis, elle abaissa son long cou. Et, de cette manière pas très élégante, elle put atteindre l'eau. Quant à Petit Girafeau, après quelques tentatives malheureuses, il réussit enfin à étancher sa soif.

— Ce n'est pas si facile d'avoir la tête dans le ciel, pas vrai ? ricana, dans son dos, un vieux gnou à la barbe grise.

La girafe

Quand on a une maman girafe, ce n'est pas facile de venir au monde ! Lorsque le girafeau sort du corps de sa mère, il doit effectuer un saut de deux mètres. Quelle culbute ! Pourtant, après son entrée fracassante dans le monde, il se lève immédiatement, en essayant de ne pas emmêler ses quatre longues pattes.

Un autre problème de girafe : que faire de son long cou lorsque l'on veut se reposer ? En fait, la girafe ne dort presque jamais. Parfois, cependant, elle replie son cou sur son dos et appuie son museau sur ses pattes arrière. Mais, le plus souvent, la girafe somnole la tête haute.

Quand deux girafes se disputent, elles se donnent des « coups de cou » sans se faire trop de mal. À la fin de la bagarre, celle qui a perdu s'en va et la gagnante la laisse partir en paix.

Une longue promenade

Dans la forêt, les éléphants marchaient en file. C'était la saison des pluies et les éléphants savaient qu'au nord, dans la savane, ils allaient trouver beaucoup d'herbe fraîche. Avec ordre et lenteur, ils avançaient l'un derrière l'autre, suivant leur piste dans la forêt. Depuis des centaines d'années, les

éléphants suivaient cette même piste pour se rendre au nord.

En tête, marchait une vieille éléphante, la plus experte du troupeau. Puis venaient les jeunes mâles. Les femelles et leurs petits fermaient la marche. De temps en temps, un pachyderme arrachait de sa trompe une touffe de feuilles ou l'écorce à demi séchée d'un tronc d'arbre, sans pour autant s'arrêter ou ralentir le pas.

— Où allons-nous, Maman ? demanda Petit Éléphanteau, âgé de deux mois.

— Nous allons là où il y a de la nourriture et de l'eau, répondit Maman Éléphant sans se retourner. Cela te plaira sûrement. Mais, pour l'instant, garde bien l'allure et prends ma queue avec ta trompe. Je te donnerai ainsi un peu de mes forces et la marche te semblera moins fatigante.

Après un long périple, les éléphants arrivèrent à la lisière de la forêt, là où commence la grande prairie. À perte de vue, en raison des pluies, la savane avait pris une alléchante couleur verte. Déjà, des centaines de zèbres et d'antilopes, tout excités, gambadaient dans l'herbe parfumée.

Les éléphants se dispersèrent et se mirent à manger. Petit Éléphanteau, en compagnie d'autres jeunes de son âge, courait de-ci de-là, levant joyeusement sa trompe en direction des oiseaux qui traversaient le ciel.

Jouer donne soif. Aussi, quand le troupeau arriva près d'un petit lac, Petit Éléphanteau se précipita le premier dans l'eau. Aussitôt, une dizaine d'échassiers, venus là pour se tremper les pattes, prirent leur envol. Puis, sans que personne ne le lui ait appris, Petit Éléphanteau emplit sa trompe d'eau et la souffla dans sa gorge desséchée.

Tout autour, les éléphants, même la vieille cheftaine du groupe, s'allongèrent et se roulèrent dans les eaux limpides, s'aspergeant les uns les autres à l'aide de leur trompe qui, sous l'effet de l'eau, avait viré du gris au noir.

L'éléphant

L'éléphant sent la présence des autres animaux même lorsque ceux-ci se trouvent à des kilomètres de distance. Il peut aussi situer le point d'eau le plus proche avec une grande facilité. Il possède en fait un flair exceptionnel grâce à son énorme nez !

Le bébé éléphant n'est pas à proprement parler un gringalet : il a la taille d'une moto de cross et pèse un quintal ! Pourtant, à peine né, il sait déjà marcher et retrouver sa mère sans difficulté.

Une douche d'eau ou de sable est un vrai plaisir. Mais, si un éléphanteau s'éloigne trop, sa maman tend sa trompe, et hop ! le tire par la queue.

Les éléphants n'abandonnent jamais un de leurs compagnons blessé ou mourant. Ils restent à ses côtés pour lui tenir compagnie et le défendre.

Petit Orang-outang a sommeil

Maman Orang-outang marchait devant, s'appuyant parfois sur le dos de ses « mains ». Petit Orang-outang courait derrière elle, faisant des cabrioles et trébuchant sur les racines des gros arbres.

Au-dessus d'eux, une douzaine de gibbons sautaient avec hardiesse parmi les branches en lan-

çant des cris stridents. C'était la fin de la journée. Depuis le matin, Maman Orang-outang et son petit se promenaient dans la forêt à la recherche de fruits, de jeunes pousses ou d'œufs d'oiseaux.

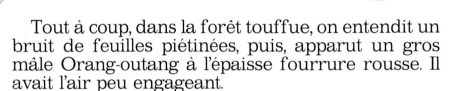

Tout à coup, dans la forêt touffue, on entendit un bruit de feuilles piétinées, puis, apparut un gros mâle Orang-outang à l'épaisse fourrure rousse. Il avait l'air peu engageant.

— Reste près de moi, petit, dit Maman Orang-outang, en s'éloignant lentement. Ce vieux solitaire a un sale caractère et il est plus prudent de se tenir loin de lui.

Une de ces brèves soirées, si typiques de l'île de Sumatra, venait de débuter. De grands oiseaux bariolés volaient entre les arbres en piaillant.

— Je suis fatigué, Maman, dit Petit Orang-outang.

Il n'avait pas encore deux ans et il venait d'arrêter de téter, apprenant à se nourrir de fruits, de graines et d'œufs.

Maman Orang-outang dévala un petit talus recouvert d'herbes hautes. En bas, coulait un cours d'eau.

— Buvons, dit-elle. Et elle se pencha pour boire de l'eau fraîche à grandes gorgées.

Petit Orang-outang ne put résister à la tentation de jouer dans l'eau. Après s'être aspergé la tête et les épaules, il but, puis alla rejoindre sa mère.

— Je suis vraiment très fatigué, Maman !

D'autres singes avaient préparé des tas de feuilles au pied des arbres. Maman Orang-outang fit grimper son petit jusqu'à une sorte de plate-forme formée de grosses branches. Elle y disposa des feuilles et des branchages pour préparer une litière confortable. Sans attendre, Petit Orang-outang s'étendit, bâilla longuement puis ferma les yeux sous le ciel bleu de Sumatra.

L'orang-outang

Que c'est bon d'avoir une maman pleine de poils !
On peut s'accrocher à son dos ou à sa poitrine,
tétant tranquillement son lait pendant qu'elle saute
de branche en branche.

À trois ans, les petits vont à l'« école du nid ». Pour
qui dort sur un arbre, il est important de savoir
entrelacer solidement les branchages. De plus, il
faut être rapide puisqu'on déménage chaque soir.

À sept ans, le petit orang-outang est déjà un
« grand ». Estimant qu'il vaut bien mieux vivre seul
plutôt que de rester attaché au jupon de sa mère, il
part vivre en solitaire, comme tous les orangs-
outangs adultes.

Un œuf de crocodile

Maman Crocodile sentait qu'elle était sur le point de pondre. Elle était désormais trop lourde et tout mouvement la gênait. Pourtant, quelques jours plus tôt, elle travaillait encore avec empressement, amassant, tout près de l'eau, une grande quantité d'herbes mouillées.

Puis le grand moment arriva. Tout doucement, l'un après l'autre, trente œufs tous égaux et à la forme allongée sortirent de son ventre. Par des ondulations de son corps et de petits coups de queue, Maman Crocodile les recouvrit de feuilles afin de les protéger d'éventuels prédateurs. Mais ce manège avait aussi un autre but. Sous l'action du soleil, herbes et feuillages allaient se décomposer en dégageant de la chaleur. Et cette chaleur allait couver les œufs mieux que ne l'aurait fait le corps froid de Maman Crocodile.

Après toutes ces opérations, Maman Crocodile s'éloigna de quelques pas pour se reposer et déguster un petit poisson. Néanmoins, elle allait continuer à surveiller ses œufs jusqu'à leur éclosion.

Jour après jour, sous ses yeux patients, les œufs venaient à maturation dans le grand nid fumant. Très vite, à l'intérieur des coquilles, les petits crocodiles commencèrent à s'agiter, à se tortiller, à remuer leurs petites queues pour sortir... Mais, la coquille était trop dure et, pendant quelque temps, les œufs se promenèrent, effectuant une sorte de mystérieux ballet.

Un jour, un des petits crocodiles découvrit qu'en donnant des coups avec la pointe de son museau

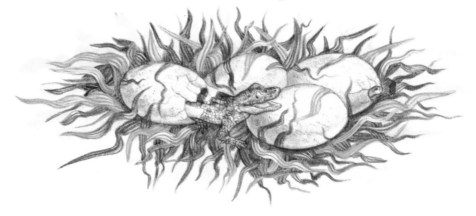

(qui possède une sorte de boule dure) il pouvait percer la coquille. Ce qu'il fit, d'abord avec la tête, puis avec ses petites pattes avant et arrière et enfin avec sa queue, pourtant courte encore. C'est ainsi que Petit Crocodile sortit, en faisant une culbute au milieu des autres œufs qui s'agitaient. Ce fut alors comme si ce petit-là avait donné le signal. L'un après l'autre, les œufs s'ouvrirent et un tas de petits crocodiles se mirent à gigoter dans le nid obscur, regardant alentour de leurs yeux vitreux.

Le moment vint de transporter les petits près de l'eau. Maman Crocodile fit une chose étrange : elle ouvrit la gueule et la laissa ouverte jusqu'à ce que six ou sept petits y entrent, en trébuchant sur ses dents. Ceci fait, d'un pas rapide, elle les transporta vers le lac, les déposa dans l'eau et retourna aussitôt chercher les autres. Quand elle revint avec le deuxième groupe dans la gueule, le premier barbotait déjà. Les bébés crocodiles ne savaient pas encore marcher, mais en natation, ils étaient déjà des champions.

Le crocodile

Comment fait la maman crocodile pour savoir que ses petits, là sous l'herbe chaude, enfermés dans leurs œufs, sont sur le point de naître ? Elle est avertie par ses bébés qui poussent des cris perçants. La maman crocodile soulève alors l'herbe et attend que ses petits cassent les coquilles.

Le pluvian est un oiseau qui a le sens des affaires. Il a passé un marché avec le crocodile : tu me laisses manger tes restes, et moi je nettoie tes dents et tes écailles. Pour ce faire, l'oiseau se promène dans la gueule du crocodile… sans risquer d'être mangé.

Le crocodile détient le record de longueur chez les reptiles : il est parfois aussi long qu'un camion de déménagement !

Un petit phoque paresseux

Petit Phoque profitait de la chaleur du soleil, allongé sur un rocher. De temps en temps, il lançait un coup d'œil aux sternes qui se promenaient au bord de la mer avant d'aller à la pêche.

— C'est l'heure de nager, petit, dit Maman Phoque, en l'effleurant de ses moustaches.

— Je n'en ai pas envie ! répondit Petit Phoque. C'est si fatigant de se traîner jusqu'à l'eau. Attendons que la mer monte jusqu'ici, Maman...

— La mer n'arrivera pas jusqu'ici, expliqua patiemment Maman Phoque. Allons-y. Dans l'eau, il y a tant de petits poissons savoureux.

À ces mots, Petit Phoque sentit un creux dans son estomac. Il remua ses nageoires, s'arc-bouta et commença à avancer.

— Pourquoi n'avons-nous pas de belles pattes longues comme les sternes ? dit-il, en tournant la

tête vers sa mère qui se traînait près de lui. Regarde comme ces oiseaux courent d'un pas léger sur la rive.

— Nous aussi, nous avions des pattes, répondit Maman Phoque. Mais, elles se sont adaptées à la natation plutôt qu'à la promenade sur la terre ferme.

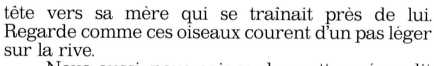

« — Tu parles de ce que j'ai derrière ! s'exclama Petit Phoque, haletant. Mais, ça ne sert à rien. C'est une queue pas des pattes !

Maman Phoque montra alors à son petit comment mieux avancer grâce à certains mouvements du corps. Ils arrivèrent ainsi au bord du rocher.

Enfin ! » soupira Petit Phoque et il se lança dans mer, éclaboussant tout sur son passage. Derrière

lui, plus tranquille, Maman Phoque se laissa glisser dans l'eau et disparut, sans faire de vagues.

Petit Phoque se mit en chasse : avec ses nageoires, inoffensives sur terre, il avançait rapidement, zigzaguant de-ci de-là. Et ses pattes postérieures, qui ressemblaient tant à une queue, le propulsaient à volonté vers le haut ou vers le bas. Une cabriole pour jouer, une cabriole pour manger.

— Comme on est bien dans l'eau, Maman, dit Petit Phoque revenu à la surface pour respirer.

— Comme les sternes dans le ciel ! répliqua, en riant, Maman Phoque, qui replongea aussitôt dans la mer azurée.

Le phoque

Attention aux touristes, aux navires polluants et aux chasseurs de peaux! Vite, sauve qui peut! Pauvres phoques, eux qui aiment tant se laisser porter paresseusement par les courants et se prélasser au soleil, ventre à l'air, sur un bon lit d'algues!

Un corps fuselé pour mieux nager et bien gras pour mieux flotter ; des oreilles aplaties pour mieux plonger ; de grands yeux saillants pour mieux voir et un nez qui se ferme automatiquement... comme le portillon d'un sous-marin dont, peut-être, les phoques ont été le modèle !

Un petit ourson glouton

    — Maman, je vois un ourson affamé ! dit Petit Ourson, en se mirant dans une flaque d'eau. Amusée, Maman Ourse se pencha au-dessus de la flaque.

    — Je le vois aussi, confirma-t-elle. Et derrière lui, il y a sa maman qui va l'aider à se rassasier. Le monde est plein de bonnes choses à manger…

— Vraiment, Maman ? questionna Petit Ourson, oubliant son image dans l'eau.

— Aimerais-tu des pousses très, très tendres ? demanda Maman Ourse qui prit la direction d'un bois voisin, suivie de son petit.

Bientôt, devant le museau de Maman Ourse, de frais feuillages et de tendres rameaux se balancèrent. Elle les arracha vivement et les engloutit. Petit Ourson essaya d'en faire autant. Mais ce n'était pas facile : les feuilles glissaient et les rameaux lui chatouillaient le palais, allant même jusqu'à le piquer parfois. Petit à petit, il apprit à mordre au bon endroit.

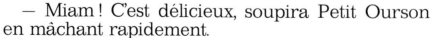

— Miam ! C'est délicieux, soupira Petit Ourson en mâchant rapidement.

— Mâche doucement, petit, comme je le fais moi-même, conseilla Maman Ourse. Tout aura un meilleur goût et tu digéreras mieux. Oh, attends ! Si je vois bien, j'ai trouvé un bon dessert.

Au milieu du tronc d'un vieux chêne, entouré d'abeilles bourdonnantes, se trouvait une ruche qui exhalait un doux parfum de miel.

— Nous devons entrer là-dedans ? s'enquit Petit Ourson, perplexe.

— Regarde bien, mon enfant, répliqua Maman Ourse.

Elle s'élança vers le tronc et attaqua la ruche à coups de pattes, de griffes et de crocs, pendant que des centaines d'abeilles essayaient de la piquer. Mais son épaisse fourrure la protégeait et si d'aventure, quelques abeilles s'approchaient trop près, Maman Ourse tournait rapidement la tête et les avalait.

Un peu à l'écart, Petit Ourson observait la scène avec étonnement. Il sentait bien l'odeur du miel ; mais il avait trop peur des abeilles en furie.

— Attrape ! cria Maman Ourse. Et, elle lui lança un gros morceau de rayon de miel doré.

— Mmm, quel délice ! s'exclama Petit Ourson, en mordant à belles dents dans le rayon de miel qu'il maintenait fermement avec ses petites pattes avant. Seules deux ou trois abeilles bourdonnaient autour de lui. Mais Petit Ourson ne leur accordait aucune attention.

L'ours

L'ours se conduit vraiment en « ours » : il est peu sociable. Les mâles ne rencontrent que rarement les autres mâles et ils ne recherchent la compagnie des femelles qu'à la saison des amours. C'est pourquoi ces dernières élèvent seules leurs petits.

Toute la journée, les oursons jouent et grimpent aux arbres avec une grande agilité. Parfois, arrivés tout en haut, ils ne savent plus redescendre. Alors Maman Ourse les réprimande en criant et, s'ils font trop de bêtises, les fait obéir d'un coup de patte pas trop méchant.

L'ours ne sait pas résister à un lac ou à une rivière. Immédiatement, il plonge, barbote, éclabousse, se prélasse dans l'eau. Et si par hasard un poisson passe, il ne lui échappera pas.

Quand il sent venir l'hiver, l'ours se choisit une tanière parmi les racines ou sous des rochers. Pour la rendre plus confortable, il y entasse des feuilles et des herbes sèches. Puis... il sombre dans un profond sommeil qui durera de trois à sept mois !

Papa couve et maman pêche

Un vent gelé soufflait sur l'Antarctique. Une poudre de glace tombait sur terre et sur mer, rendant impossible la présence d'un quelconque animal, hormis les manchots. Attendant la fin de la tourmente, une grande colonie de manchots empereurs se tenaient immobiles sur l'étendue blanche, à distance régulière les uns des autres.

Petit Manchot, tout couvert de duvet, agitait ses petites ailes dans le vent et essayait de se protéger derrière son père.

Mais où était donc Maman Manchot ?

Remontons dans le temps, au moment bien particulier de la naissance du manchot empereur. Quelques mois plus tôt, les femelles s'étaient réunies là pour la ponte des œufs. Maman Manchot, qui n'était pas encore une maman, était restée debout sans manger pendant deux mois, alors que l'œuf se développait dans son ventre. Enfin, à peu près en même temps que toutes les autres femelles de la colonie, Maman Manchot avait pondu un gros œuf blanc, à peine plus teinté que la neige. La naissance de Petit Manchot était encore bien éloignée.

L'œuf fut confié aux bons soins de Papa Manchot qui le garda sur ses pieds, bien au chaud, niché dans un repli de la peau de son ventre.

Pendant que Papa Manchot couvait, Maman Manchot partit à la pêche, en mer.

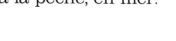

Durant presque deux mois, Papa Manchot resta immobile avec son œuf sans rien avaler. En raison de ce régime, son poids chuta, passant de trente à vingt kilos. Finalement, un beau jour, l'œuf s'ouvrit. En sortit un Petit Manchot, tout pelé, qui se nicha à nouveau sous le ventre de son père. Ce dernier se mit à le nourrir en lui mettant dans le bec une substance laiteuse que son jabot produisait.

Petit Manchot commença à avoir des plumes chaudes et légères qui gonflaient au vent et le protégeaient du froid. Le petit ne s'éloignait jamais de son père, de peur de se perdre dans la nombreuse colonie et de mourir de faim et de froid.

Au bout d'un mois environ, Maman Manchot réapparut, la gorge pleine de poissons frais. Presque toute la pêche était réservée à Papa Manchot. Quant à Petit Manchot qui, le bec ouvert, agitait ses ailes, il eut droit à un petit poisson.

Voici donc toute la famille réunie. Pendant six autres mois, Papa et Maman protégeront et nourriront ensemble Petit Manchot jusqu'à ce qu'il soit prêt à vivre seul sur le grand espace gelé.

Le manchot

Quand arrive la saison de la ponte, les manchots font un grand festin. Venus par milliers, maris et femmes se reconnaissent en s'appelant.

Maman Manchot pond son œuf la nuit. Puis, peut-être pour montrer sa joie, elle se met à chanter et à jacasser plus que de coutume.

Quand les petits manchots sont assez grands pour quitter papa et maman, ils sont confiés à une « crèche » où, en compagnie d'autres petits, ils sont gardés par quelques adultes.

Petit Koala grandit

Tout doucement, Maman Koala grimpait le long
d'une branche d'un eucalyptus aux feuilles parfu-
mées. Sur son dos, agrippé à son épaisse fourrure,
Petit Koala se tenait en équilibre, faisant bien
attention de ne pas tomber quand sa mère se
déplaçait ou bien se redressait.

Sa petite tête aux yeux vifs bougeait sans arrêt,

observant les alentours de l'arbre, et au loin, l'étendue de la forêt australienne.

— J'étais bien mieux quand j'étais plus petit ! murmura Petit Koala à l'oreille de sa mère.

— Vraiment ? lui dit-elle, en arrachant une belle feuille luisante.

— Mais oui, insista Petit Koala, je m'en souviens encore très bien. J'étais au chaud et je me sentais protégé dans ta poche marsupiale… C'était la maison de ma maman : je ne sentais pas les secousses, je ne risquais pas de tomber comme maintenant et les feuilles ne me chatouillaient pas les narines et…

— Tu as grandi, répliqua Maman Koala. Dans ma poche marsupiale tu es resté six mois. Mainte-

nant, il n'y aurait plus assez de place pour toi. Ne fais-tu pas maintenant de belles promenades, confortablement installé sur mon dos ?

Petit Koala ne répondit rien, mais il n'était pas convaincu. Il se mit à grignoter une feuille.

Les jours passèrent, puis les semaines. Bientôt,

Petit Koala fut trop gros pour voyager sur le dos de sa mère. Il devait désormais se débrouiller avec ses pattes pour s'agripper aux branches et ce n'était pas facile.

— Oh ! comme j'étais bien sur ton dos, Maman, grommelait-il, en cherchant à demeurer en équilibre.

Maman Koala se taisait et le regardait, amusée. Dans peu de jours, il ne regretterait plus le dos de sa mère. Il allait devenir bien vite un koala adulte, robuste et sûr de lui. Il n'aurait quasiment plus rien ni personne à redouter. Pas même les hommes, maintenant que la chasse au koala était interdite. Il pourrait vivre une vie tranquille, suspendu entre ciel et terre, parmi les eucalyptus.

Le koala

L'eucalyptus est un arbre très haut avec un restaurant cinq étoiles, une chambre à coucher confortable, un gymnase bien équipé… en somme le plus bel arbre du monde ! Du moins, pour un koala.

Les koalas ne boivent presque jamais. C'est là l'origine de leur nom : dans la langue des Australiens, koala signifie « qui ne boit pas ». En réalité, le liquide dont ils ont besoin est contenu dans leur nourriture.

Une maman koala est enceinte pendant trente-cinq jours. Quand le bébé naît, il est vraiment tout petit : la taille d'une capsule de soda. C'est pour cette raison qu'il doit rester longtemps dans la poche marsupiale. Pendant les huit mois suivants, le petit koala grandira ainsi bien au chaud.

Table des matières